Wyt ti'n gwybod

Llyfr teithio Noa

Testun: Non ap Emlyn, 2018
© Delweddau: Canolfan Peniarth, Prifysgol Cymru Y Drindod Dewi Sant, 2018

Golygyddion: Lowri Lloyd ac Eleri Jenkins

Dyluniwyd gan Sian Elin Evans

© Lluniau: Shutterstock.com. t.2 Jeffrey Blackler / Alamy Stock Photo. t.3 Holger Burmeister /
Alamy Stock Photo. t.3 Alex Ramsay / Alamy Stock Photo. t.3 Tony Smith / Alamy Stock Photo.
t.5 Chris Hellier / Alamy Stock Photo. t.5 Gabbro / Alamy Stock Photo. t.6 a-plus image bank
/ Alamy Stock Photo. t.6 Graham Prentice / Alamy Stock Photo. t.7 dov makabaw sundry
/ Alamy Stock Photo. t.7 Adrian Grabowski / Alamy Stock Photo. t.9 Melvyn Longhurst /
Alamy Stock Photo. t.9 Eddie Gerald / Alamy Stock Photo. t.11 Wiskerke / Alamy Stock Photo.
t.11 incredible india travel stock images / Alamy Stock Photo

Cyhoeddwyd yn 2018 gan Ganolfan Peniarth

Wyt ti'n gwybod

Cynnwys

1

beic

beic mynydd

beic isel

beic fel car

beic saith person

beic tacsi

Gwahanol iawn!

Car

hen
gar

car
cyflym

car fel
esgid

car
diddorol

Bobl bach!

bws lliwgar

bws llawn

bws arbennig, bws ar y ffordd a ...

... bws yn y dŵr

Mawredd mawr!

Anifail

Teithio ar gefn...

ceffyl

eliffant

camel

asyn

Anifeiliaid yn tynnu

ceffyl yn
tynnu cart

camel yn
tynnu cart

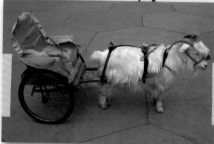

gafr yn
tynnu cart

Nefi wen!

Cwch

cwch camlas

Lliwgar!

cwch hwylio

cwch cyflym

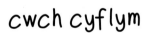

cychod gwahanol

Nefi bliw!

awyren

hofrennydd

parasiwt

balŵn aer poeth

Hyfryd!

Mynegai